L'album de

# Muscade s'ennuie

## Susan Hughes

Illustrations de
### Leanne Franson

Texte français de
Martine Faubert

**SCHOLASTIC**

Références photographiques :
Page couverture : King-Charles © PeeWee/Westend61/Corbis
Bordures en coin : © Freeroot/Shutterstock.com;
Logo : © Mat Hayward/Shutterstock.com; © Michael Pettigrew/Shutterstock.com;
© Picture-Pets/Shutterstock.com. Arrière-plan : © Anne Precious/Shutterstock.com;
© dip/Shutterstock.com. Quatrième de couverture : pendentif © Little Wale/
Shutterstock.com.

L'auteure tient à remercier la D$^{re}$ Stephanie Avery, D.M.V.,
pour son expertise sur les chiots.

Catalogage avant publication de Bibliothèque et Archives Canada
Hughes, Susan, 1960-
[Nutmeg all alone. Français]
Muscade s'ennuie / Susan Hughes ; illustrations de
Leanne Franson ; texte français de Martine Faubert.
(Album des chiots ; 8)
Traduction de : Nutmeg all alone.
ISBN 978-1-4431-4653-1 (couverture souple)
I. Franson, Leanne, illustrateur II. Titre. III. Titre : Nutmeg
all alone. Français IV. Collection : Hughes, Susan, 1960- Album des chiots ; 8.
PS8565.U42N8814 2016       jC813'.54       C2015-907519-X

Édition publiée par les Éditions Scholastic, 604, rue King Ouest, Toronto (Ontario)
M5V 1E1 CANADA.

6 5 4 3 2 1     Imprimé au Canada 121     16 17 18 19 20

MIXTE
Papier issu de
sources responsables
FSC® C004071

*À Elizabeth Savary-Gosnell, une brigadière scolaire gentille et consciencieuse doublée d'une promeneuse de chien extraordinaire.*

# CHAPITRE UN

*Catou est entourée de chiots. Un basset est à ses pieds et elle tient dans ses bras un joli petit caniche et un adorable saint-hubert. Il y en a aussi trois autres sur ses genoux : un samoyède, un lévrier irlandais et un berger australien.*

*D'autres chiots jouent autour d'elle.*

La cloche sonne, mais Catou ne se lève pas. Elle est assise dans la cour de l'école, adossée à un arbre. Son capuchon recouvre sa tête et elle porte des mitaines. Elle a les yeux fermés.

— Catou? dit Olivier. Catou, est-ce que ça va?

Les yeux de Catou restent fermés. Elle sourit, l'esprit toujours au pays des chiots.

— Catou? répète Olivier. Tout va bien?

*Si elle va bien? Évidemment! Elle se porte même à merveille! Ses parents ont enfin accepté qu'elle ait un chiot. Mais il reste un problème à régler : quelle race choisir? C'est difficile, ils sont tous si mignons!*

— Catou, Catou! répète Olivier.

Catou soupire. Elle ne veut pas interrompre sa rêverie. En réalité, elle n'a pas le droit d'avoir un chien. Ses parents disent qu'ils n'ont pas le temps de s'en occuper, même si Catou promet de tout faire.

Catou rougit quand elle ouvre les yeux. Olivier est planté devant elle et la regarde d'un air préoccupé. Plusieurs élèves de la classe mixte de 4e et 5e années, dont l'amie de Catou, Béatrice, sont déjà en rang devant la porte. Mais Catou ne les a pas rejoints. Ce midi, elle est allée dîner chez elle, puis elle est revenue très tôt. Et au lieu de jouer avec ses amies, elle s'est assise sous le grand arbre pour rêvasser pendant quelques minutes.

Olivier reste à la regarder. Il est ami avec elle et dans la même classe. Certaines élèves taquinent souvent Catou en prétendant qu'Olivier est amoureux d'elle. En effet, dès que Catou est dans les parages, il devient muet comme une carpe. Olivier jouait à la balle avec son ami Mathieu et avait dû s'apercevoir que Catou ne s'était pas levée au son de la cloche. Elle n'avait même pas ouvert les yeux.

— Hé! Olivier! l'appelle Mathieu depuis le fond de la cour.

Il lance une balle de baseball en l'air et la rattrape.

— Tu viens, Oli? ajoute-t-il.

— Est-ce que… bredouille Olivier. Catou, est-ce que tu vas bien?

— Bien sûr, dit-elle en se relevant. Je me reposais.

Elle ne peut pas lui raconter sa rêverie. Elle ne peut pas non plus lui parler de l'album des chiots qu'elle confectionne avec Maya et Béatrice. Elles pensent toutes les trois que les chiots sont la plus belle chose du monde, même si aucune d'elles n'en possède un. Elles s'amusent donc à collectionner

des photos de leurs chiots préférés ou à les dessiner. Elles les mettent tous dans l'album et écrivent une courte description de chacun. C'est comme si elles avaient leurs propres chiots et ainsi elles gardent le souvenir de tous ceux qu'elles ont vraiment connus.

Olivier est son ami, mais si Catou lui parle de ses rêveries ou de leur album des chiots, il pourrait le répéter à d'autres élèves qui se moqueraient peut-être d'elle et de ses amies, Maya et Béatrice.

Soudain, Catou aperçoit Maya qui entre en courant dans la cour de l'école. Maya n'est pas dans sa classe cette année, mais d'habitude elles dînent ensemble. Aujourd'hui, Maya avait un rendez-vous chez le dentiste à l'heure du dîner. Son père vient de la ramener à l'instant.

La cloche sonne une seconde fois.

— Dernière cloche, Oli! crie Mathieu. Dépêche-toi! Tu ne vas pas être en retard à cause de ta petite amie, quand même!

Olivier rougit.

— Tout va bien, Oli, dit Catou un peu gênée. Ne t'en fais pas.

Il reste sans bouger pendant une bonne minute.

— On se voit en classe, dit Catou.

— D'accat, dit Olivier. Euh, je veux dire d'accatou. Zut! Je veux dire d'accord, Catou.

Et il court rejoindre Mathieu.

Catou va retrouver Maya. Son amie a des cheveux noirs mi-longs, retenus par deux barrettes. Elle est très exubérante et on s'amuse toujours avec elle. Elle a le don d'ajouter de la fantaisie à chaque petit instant de la vie.

— Étais-tu en train de parler avec le garçon qui te fait les yeux doux, Catou-Minou? la taquine Maya. Je vais finir par croire comme tout le monde que tu es *bel et bien* amoureuse de lui!

— Très drôle! répond Catou.

Certaines filles de l'école taquinent Catou au sujet d'Olivier. Elles le font méchamment, mais Maya, elle, le fait amicalement.

Maya tire Catou par la manche de son manteau.

— Allons-y! dit-elle. *Pronto*, sinon on va être en retard.

Elles se dirigent vers la porte de l'école au pas de course.

— Ah oui, j'allais oublier, ajoute Maya. Papa m'a donné la permission d'aller au P'tit bonheur canin après l'école.

Catou retrouve le sourire. Sa tante Janine est propriétaire d'un salon de toilettage. Elle accueille aussi des chiots en pension, généralement un seul à la fois. Thomas, le réceptionniste, répond au téléphone, fixe les rendez-vous et s'occupe de la comptabilité. Mais souvent, tante Janine a besoin d'aide quand elle garde des pensionnaires. Elle demande alors à Catou et à ses deux copines de lui donner un coup de main. Les fillettes sont toujours ravies de venir après l'école ou en fin de semaine pour jouer avec les chiots ou les emmener en promenade.

Ce matin, tante Janine a appelé Catou avant qu'elle parte pour l'école. Le P'tit Bonheur canin va recevoir un nouveau pensionnaire et tante Janine voulait savoir si les filles pourraient venir après l'école.

Dès qu'elle est arrivée dans la cour d'école, Catou en a parlé à ses deux amies qui ont promis de demander la permission à leurs parents à l'heure du dîner.

— Je suis contente que tu puisses venir, Maya, dit Catou. C'est formidable! Espérons que Béatrice aura la permission, elle aussi.

— Ok, *ciao bella*, dit Maya en se dirigeant vers le rang de sa classe.

Elle s'amuse toujours à dire des mots ou des expressions dans d'autres langues, juste pour le plaisir.

Puis Maya se retourne.

— Hé Catou! dit-elle. Ta blague du jour : quelle race de chiens rit quand on raconte de bonnes blagues? Donne-moi la réponse!

Catou sourit et agite le doigt dans la direction de Maya, comme pour la gronder.

— Tu sais très bien que je ne peux pas te la donner si Béatrice n'est pas là, dit-elle. Tu dois attendre que nous soyons toutes les trois ensemble!

— Dis-le-moi tout de suite, s'il te plaît! la supplie Maya en faisant la moue, les deux mains sur les hanches.

— Pas question, dit Catou. Et puis je dois y aller!

— Tu es la pire de… dit Maya. La pire de toutes!

Elle fait la grimace et les gros yeux à Catou avant de disparaître à l'intérieur de l'école.

Catou pouffe de rire, puis elle va vite se mettre en rang.

# CHAPITRE DEUX

Dès que Catou entre en classe, Béatrice lui annonce qu'elle peut aller au P'tit bonheur canin.

— Super! dit Catou. J'ai hâte de rencontrer le nouveau chiot. Et toi?

— Super hâte! s'exclame Béatrice.

Elle s'assoit au pupitre voisin de celui de Catou. Béatrice a les yeux noisette. Comme toujours, ses cheveux roux sont coiffés en deux longues nattes. Catou trouve qu'elle ressemble à Anne dans *Anne, La maison aux pignons verts*.

— Ta tante t'a-t-elle dit de quelle race est le chiot? demande Béatrice.

Catou secoue la tête.

— Elle m'a simplement dit que c'était une petite chienne très gentille et que nous allions l'adorer.

Catou arrête de parler et sourit.

— J'ai l'impression que personne ne peut aimer autant les chiots que Maya, toi et moi… reprend-elle.

— Et ta tante, ajoute Béatrice.

L'après-midi passe vite. À la fin de la journée d'école, Catou et Béatrice prennent leurs sacs à dos et leurs manteaux, et courent rejoindre Maya qui les attend à la sortie.

— Le nouveau chiot se languit de nous connaître, dit Maya d'une voix théâtrale. Ne tardons point et courons de ce pas au P'tit bonheur canin.

Les filles bavardent tout en marchant d'un bon pas. Après avoir passé quelques rues, elles traversent le parc pour se rendre chez Béatrice qui habite de l'autre côté. Elle a déménagé à Jolibois avec sa famille juste après la rentrée des classes. Avant, elle habitait dans une ferme.

En arrivant devant chez elle, Béatrice se précipite à l'intérieur et dépose son sac à dos. Elle ressort quelques minutes plus tard et les trois filles continuent leur chemin.

Soudain, Maya fronce les sourcils.

— Eh toi, la spécialiste des blagues! dit-elle à Catou.

Béatrice ne peut s'empêcher de sourire. Elle connaît la suite.

— On veut la réponse, dit Maya. Tout de suite!

— *Quelle race de chiens rit quand on raconte des bonnes blagues?* dit Béatrice pour rappeler la question à Catou. Tu ne nous as pas donné la réponse!

— Et elle a intérêt à être drôle, l'avertit Maya. Ce n'est pas gentil de nous torturer en nous posant la question le matin et en nous faisant languir toute la journée avant de nous donner une réponse qui sera de toute façon…

Elle regarde Béatrice.

— Dis-le-lui, ajoute Maya.

— Nulle, dit Béatrice.

— Ou pas terrible, réplique Maya.

— Ou archi mauvaise, renchérit Béatrice.

Elles tournent au coin d'une rue.

— Allez, donne-nous la réponse! insiste Maya.
*Quelle race de chiens rit quand on raconte des
bonnes blagues?*

Catou regarde Béatrice, puis Maya.

— Vous ne devinez pas? dit-elle.

Béatrice et Maya lèvent les yeux au ciel.

— Pourtant, la réponse me semble assez évidente,
dit Catou en se retenant de rire. C'est le chi-ha-ha.

— Mauvais! dit Béatrice.

— La pire de tous les temps! déclare Maya.

Béatrice et Maya rigolent, puis elles se mettent
à pourchasser Catou qui court à toutes jambes, la
bouche fendue jusqu'aux oreilles.

Au bout d'un moment, elles arrivent dans la rue
principale de Jolibois. Toujours au pas de course,

elles passent devant un restaurant, la boutique du coiffeur pour hommes, la banque et quelques autres commerces. En arrivant devant le P'tit Bonheur canin, elles s'arrêtent un instant pour reprendre leur souffle. La cloche tinte quand elles poussent la porte d'entrée. Derrière le comptoir, Thomas, le réceptionniste, les salue de la main. Il est en train de discuter avec une cliente qui tient dans ses mains un caniche miniature noir et blanc, fraîchement toiletté.

Catou lui rend son salut, puis elle parcourt des yeux la salle d'attente. Un jeune homme est assis avec un schnauzer noir à ses pieds. Il y a aussi une femme en chandail de laine blanc. Elle tient un lhassa apso noir et blanc sur ses genoux.

En voyant la dame, Catou donne un coup de coude à Maya. Catou et Maya trouvent que certaines personnes font penser à un chien en particulier. Et parfois, les propriétaires de chiens ont des ressemblances avec leur chien.

— De vraies jumelles! dit Maya à Catou en gloussant.

Béatrice rit aussi, mais pour une autre raison. La cliente tient son caniche miniature à la hauteur des yeux de Marmelade qui est assise sur le comptoir. Marmelade est la chatte de Thomas. Elle a quinze ans et accompagne son maître partout où il va. Quand il travaille, elle passe la journée perchée sur le comptoir d'où elle regarde les chiens de haut. Soudain, elle se lève, fait le gros dos et marche dignement le long du comptoir. Puis, avec un air de mépris, elle se roule en boule en tournant le dos au caniche minature.

— Pauvre Marmelade, dit Béatrice à la blague. Elle a vraiment la vie dure!

Catou et Maya sourient. Tout le monde sait que,

sous ses airs grognons, Marmelade a le cœur tendre comme de la guimauve.

— Les filles! les interpelle Thomas. Janine vient juste de terminer le toilettage de Mlle Clochette et elle est allée rendre visite à notre nouvelle pensionnaire. Voulez-vous aller la rejoindre dans la garderie?

— Oh oui! dit Catou. Merci, Thomas.

Les trois fillettes s'engagent dans le couloir et entrent dans la garderie. Il y a une grande aire de jeu fermée. Un escalier conduit à l'appartement de tante Janine et à une grande salle d'entraînement pour les chiots. Quatre cages sont alignées contre un mur. Une porte donne sur une cour clôturée.

— On est là, tante Janine! annonce Catou en entrant dans le local.

— Vous arrivez juste au bon moment! dit tante Janine.

Elle porte sa blouse de travail rose. Comme d'habitude, ses cheveux châtains sont relevés en queue de cheval. Elle tient dans ses bras un petit chiot marron et blanc.

16

— Je suis venue voir comment allait notre nouvelle pensionnaire, poursuit-elle. Je vous présente Muscade.

Les fillettes s'empressent de la rejoindre.

— Oh! la jolie petite frimousse! roucoule Béatrice.

La petite chienne a les oreilles et le tour des yeux marron. Le blanc de son museau se prolonge en une ligne qui passe entre ses yeux et continue jusque sur sa tête. Elle a une longue queue au bout blanc.

Catou la caresse doucement. Muscade a le poil

soyeux et ses oreilles sont douces comme du velours.

— Muscade est âgée de dix semaines, dit tante Janine. C'est un épagneul cavalier King-Charles.

— Cavalier King-Charles, répète Maya lentement. Tout un nom pour une race de chiens!

— Oui, c'est un peu long, dit tante Janine avec un petit sourire.

— Que signifie *cavalier?* demande Béatrice.

— Cavalier était le nom qu'on donnait aux chevaliers de la cour du roi Charles I$^{er}$ qui a régné en Angleterre au 17$^e$ siècle, explique Catou. Son successeur, Charles II, appréciait énormément cette race de chiens et en gardait toujours deux ou trois auprès de lui.

— Donc la race doit son nom au roi Charles II? dit Béatrice.

— Exactement, dit Catou.

Maya et Béatrice échangent un sourire. Catou sait tant de choses sur les chiens que Maya l'a surnommée Einstein. Elle lit tout ce qu'elle peut trouver sur Internet et son livre préféré s'intitule *Les races de chiens dans le monde*. Un jour, Catou voudrait être aussi savante que sa tante Janine en matière de chiens.

— L'une de vous voudrait-elle prendre Muscade dans ses bras? demande tante Janine. Qu'en penses-tu, ma chouette?

C'est le petit nom affectueux que tante Janine emploie pour sa nièce.

Catou sent son cœur fondre de tendresse. *Bien sûr* qu'elle veut prendre l'adorable chiot. Mais elle sait que ses deux amies le souhaitent tout autant.

— Commençons par Maya, dit Catou.

Maya remercie Catou d'un sourire et tend les bras pour prendre Muscade.

— Que tu es jolie, murmure-t-elle en la serrant dans ses bras.

La petite chienne ne lève même pas la tête pour la regarder. Ses yeux bruns au regard triste fixent un point droit devant elle.

— Alors voici la situation, dit tante Janine. La

propriétaire de Muscade, Patricia Julien, est partie ce matin pour rendre visite à sa mère qui est malade. Elle a demandé à son voisin de s'occuper de ses deux chats, Pacha et Grisou. Il ira chez elle pour leur donner à manger. Mais elle n'a trouvé personne pour prendre soin de son nouveau chiot. Muscade va donc rester dormir quatre nuits ici, jusqu'à dimanche.

Tante Janine sourit.

— Les filles, pourriez-vous venir jouer avec Muscade après l'école demain et après-demain, puis samedi dans la journée? ajoute-t-elle. Ce serait formidable.

— Moi, je peux, déclare Catou.

Maya et Béatrice disent qu'elles vont demander la permission à leurs parents.

— Affaire conclue! dit tante Janine. Merci infiniment, les filles.

Puis elle leur montre la cage qu'occupe Muscade et leur indique où est sa laisse et quelles gâteries elles peuvent lui donner.

Tout en écoutant sa tante, Catou observe Muscade. La petite chienne ne gigote pas de plaisir. Ses yeux ne brillent pas d'excitation. Elle ne se débat pas pour qu'on la dépose par terre où elle pourrait courir. Elle ne se comporte pas comme les autres chiots dont Catou s'est déjà occupée au P'tit bonheur canin.

— Tante Janine, est-ce que Muscade va bien? demande-t-elle. Elle me semble bien trop tranquille.

— Les chiots mettent souvent du temps à s'adapter quand ils ne sont pas chez eux, dit tante Janine. Et Muscade est ici depuis peu. Je suis sûre qu'elle va retrouver sa bonne humeur quand elle aura passé un petit moment avec vous trois.

Tante Janine tire doucement les oreilles de Muscade, puis retourne dans la salle de toilettage.

— J'espère que tu vas bien, dit Maya en posant un bisou sur la tête de Muscade.

# CHAPITRE TROIS

Maya tend délicatement le chiot à Béatrice.

— À ton tour, dit-elle.

Béatrice serre Muscade contre sa poitrine et frotte sa joue contre la tête de la petite chienne.

— Ne sois pas triste, p'tit bout d'chou, dit-elle d'une voix douce. Tout va bien aller.

Elle regarde le chiot d'un air songeur et ajoute :

— Muscade est si jolie! Mais les King-Charles sont-ils tous de la même couleur?

Maya fait semblant d'être une animatrice à la

télévision et tend le bras pour mettre un micro imaginaire devant la bouche de Catou.

— Et maintenant, cher public, notre Einstein de la toutoulogie va vous parler de la robe du King-Charles, annonce-t-elle.

Catou éclate de rire.

— Les King-Charles peuvent avoir quatre robes différentes, dit-elle.

Elle s'arrête un instant et pose le doigt sur la petite truffe noire de Muscade.

— Toi, tu es une King-Charles blenheim, c'est-à-dire blanc et roux, explique-t-elle au chiot. Le King-Charles tricolore est noir et blanc avec des marques rousses. Le King-Charles rubis a le poil entièrement roux. Enfin, d'autres sont noir et roux.

— Ainsi se termine aujourd'hui notre émission populaire *Les races de chiens dans le monde* avec, en direct de nos studios, notre Einstein de la toutoulogie, dit Maya dans son faux micro.

Catou et Béatrice se tordent de rire tandis que Maya va chercher un jouet dans le panier à côté des étagères.

— Bon, dit-elle. Maintenant, cette petite chienne doit apprendre à s'amuser. Qu'en dis-tu Muscade? As-tu envie de jouer?

Maya secoue le jouet.

— Regarde ce que je vais faire, Muscade! dit-elle. Elle lance le jouet qui glisse par terre.

— Veux-tu aller chercher le jouet, Muscade? ajoute-t-elle.

Muscade reste sans bouger dans les bras de Béatrice, puis elle plisse le nez et soupire.

— Oh, mon trésor! dit Béatrice. Qu'est-ce qui ne va pas?

— Ne nous décourageons pas trop vite, dit Catou en prenant le chiot. Écoute, Muscade. Tu te sentiras mieux si tu acceptes de jouer avec nous. Allez! Retourne par terre.

Elle dépose la petite chienne. Celle-ci s'assoit sagement et regarde tout autour d'elle, mais ne bouge pas.

Maya ramasse le jouet qu'elle a lancé à l'autre bout de la pièce et l'agite sur le plancher, juste devant Muscade.

— Regarde! dit-elle. Regarde le jouet! Va le chercher, Muscade! Attrape-le!

Muscade dresse les oreilles et bondit sur le jouet en peluche. Elle le prend dans sa gueule et le secoue en poussant de petits grognements.

— Elle commence à comprendre! dit Catou.

Béatrice tape des mains.

— Rapporte le jouet, Muscade! dit-elle. Rapporte-le!

Muscade remue la queue, puis elle fait demi-tour et court jusqu'à la rangée de cages. Elle va se cacher derrière l'une d'elles et jette un coup d'œil aux filles.

— Je viens te chercher! dit Maya. Le gros monstre va t'attraper!

Elle s'accroupit et s'approche lentement de Muscade en agitant ses bras dans tous les sens.

Muscade écarquille les yeux. Quand Maya arrive près d'elle, elle sort de sa cachette et s'enfuit en courant avec la peluche dans la gueule. Ses yeux brillent de malice.

Puis Catou fait semblant d'attraper le jouet et la petite chienne s'enfuit à grands bonds jusqu'à l'autre bout de la pièce. Puis elle dépose le jouet par terre et se met à aboyer avec frénésie.

Les filles éclatent de rire. Catou est soulagée de constater que Muscade semble en pleine forme.

Les fillettes continuent de jouer avec elle pendant près d'une demi-heure. Elles se pourchassent à tour de rôle. Elles font rouler une balle entre elles sur le plancher et Muscade la poursuit. Elles disposent bout à bout deux boîtes en carton dans lesquelles elles mettent des biscuits pour chiens et réussissent à convaincre Muscade de les explorer. Celle-ci dévore même les biscuits!

Maya prend des photos de Muscade en train de jouer.

— Tu vas avoir ta place dans notre album des chiots, dit-elle. On va y mettre ces photos et ajouter un texte à ton sujet.

Peu après, Muscade cesse de remuer la queue. Son regard s'assombrit et elle ne veut plus jouer à la balle. Elle se couche par terre et pose la tête entre ses pattes.

— Est-ce que ça va, Muscade? demande Catou.

— Elle doit être fatiguée d'avoir joué si longtemps, dit Béatrice.

Muscade fait une petite sieste. Mais quand elle se réveille, elle ne veut toujours pas jouer. Les filles la caressent tandis qu'elle reste couchée.

Quand il est l'heure de partir, Catou l'embrasse une dernière fois sur le dessus de la tête.

— Au revoir, Muscade, dit-elle en la remettant dans sa cage. Tu seras peut-être de meilleure humeur demain.

— J'en suis sûre, affirme Maya.

Mais pendant toute la soirée, et longtemps après être rentrée chez elle, Catou reste préoccupée.

# CHAPITRE QUATRE

Le jeudi, les trois fillettes se rendent en courant au P'tit bonheur canin. À la réception, Thomas est occupé au téléphone et Marmelade est couchée sur le comptoir, près de lui. Béatrice va saluer la vieille chatte.

Il y a trois clients dans la salle d'attente. Un jeune homme est assis sur une des chaises et travaille sur son ordinateur portable. Une femme est installée sur le canapé avec un berger des Pyrénées blanc à ses pieds. Il a posé sa grosse tête sur le canapé, ne

29

laissant de place à personne.

— Regarde! dit Maya en donnant un coup de coude à Catou.

Un homme est assis sur une autre chaise. Ses cheveux auburn sont très frisés et il a un long nez et une barbe qui se termine en pointe. Un airedale est assis à ses pieds. Son pelage noir et roux est très frisé et il a un long museau et une barbichette pointue.

— D'autres jumeaux! dit Catou en riant sous cape.

— C'est évident, renchérit Maya.

Thomas raccroche le téléphone et salue Béatrice, Catou et Maya.

— Bonjour les filles! dit-il. Janine aimerait bien que vous emmeniez Muscade au parc aujourd'hui.

— Avec plaisir, dit Catou. Comment va Muscade?

— Elle n'a pas beaucoup d'entrain, dit Thomas en secouant la tête. Elle a bu de l'eau, mais elle n'a pas touché sa nourriture de toute la journée.

Catou perd le sourire.

— Merci, Thomas, dit-elle.

Catou, Maya et Béatrice se rendent aussitôt à la garderie. Elles y découvrent la petite chienne King-Charles recroquevillée dans sa cage contre le mur.

— Bonjour Muscade! crie Maya. On est là!

Muscade reste couchée, la tête posée sur ses pattes.

— Est-ce que ça va? lui demande Catou.

Elle sort Muscade de la cage et la serre contre elle. Elle sent les battements de son cœur dans la paume de sa main.

— Pourquoi ne veux-tu rien manger? dit-elle. Qu'est-ce qui ne va pas?

Catou dépose Muscade sur un journal. La petite chienne fait pipi. Catou la félicite et lui donne un biscuit. Muscade le renifle, mais ne le prend pas.

Maya fronce les sourcils.

— Ce n'est pas bon signe, dit-elle. Un chiot ne refuse jamais une gâterie!

— Elle sera peut-être plus en forme au parc, dit Béatrice en tirant sur une de ses tresses rousses. Le grand air devrait lui faire du bien.

***

Sur le chemin du parc, Muscade semble aller mieux. En arrivant, elle lève la tête et hume l'air. Le parc est bordé d'arbres et d'arbustes. Il y a un terrain de jeu à une extrémité du parc et une butte surmontée d'un bosquet à l'autre. D'un côté de la butte, il y a la ville de Jolibois et de l'autre, quelques rues bordées de maisons, puis la pleine campagne.

— Bon, dit Béatrice. On va courir un peu.

Les fillettes traversent la pelouse au pas de course, jusqu'au terrain de jeu. Muscade les suit, les oreilles flottant au vent et la queue bien dressée.

Rendue au terrain de jeu, Muscade est à bout de souffle et se couche. Les filles se reposent en regardant des garçons qui se lancent un ballon de football de l'autre côté des balançoires. Au bout de quelques minutes, la petite chienne se lève et regarde autour d'elle avec curiosité.

— Prête pour une autre petite course, Muscade? dit Maya. Alors, c'est parti!

Maya et Béatrice se mettent à courir sur la pelouse

avec le chiot. Mais Catou entend alors son nom. Elle se retourne et aperçoit un des garçons qui la salue de la main. C'est Olivier.

Elle lui rend son salut et se prépare à rejoindre Maya et Béatrice, mais Olivier continue de lui faire signe de la main. Puis il vient la rejoindre en courant.

— Bonjour, dit-il en approchant.

— Bonjour, Olivier, dit Catou un peu sèchement. Qu'est-ce que tu veux?

Maya et Béatrice s'éloignent de plus en plus. Catou repense à ce que Maya lui a dit hier, quand celle-ci l'a vue parler avec Olivier dans la cour de l'école. *Je vais finir par croire comme tout le monde que tu es bel et bien amoureuse de lui.* Et voilà qu'elle est encore en train de parler avec Olivier!

— Rien, dit Olivier en haussant les épaules.

Il porte une tuque de laine avec des oreillettes. Maya et Catou sont d'avis que cette tuque lui donne l'air d'un basset, et c'est vrai. Catou sourit en y pensant.

— Je suis venue au parc avec Béatrice et Maya, dit Catou. On garde un chiot pour aider ma tante. (Elle pointe le doigt en direction de ses deux amies.) D'ailleurs, je dois y aller…

— On joue au football, mais on fait une pause, dit Olivier. *On*, c'est-à-dire Mathieu, Sanjit et moi.

— Bien, dit Catou.

Elle repense à ce que Maya lui a dit. Mais ce ne serait pas gentil de le planter là. D'ailleurs, elle l'aime bien. Il est son ami.

— De quelle race est le chiot? demande Olivier en enfonçant les mains dans ses poches.

— C'est un cavalier King-Charles, répond Catou. Cette race se présente sous quatre robes différentes. Il y a…

— Oui, je suis au courant, dit Olivier.

— Vraiment? s'étonne Catou.

Elle se rappelle le jour où leur classe avait fait une recherche à la bibliothèque de l'école. Catou s'était rendue directement à la section sur les animaux pour consulter un livre sur les chiens. Olivier était là lui aussi, mais il avait regardé un livre sur les cochons et un autre sur les oiseaux, pas sur les chiens.

Olivier baisse les yeux.

— Euh… oui, bafouille-t-il. J'ai lu quelques livres sur… les chiens. Tu sais, j'aime bien…

Il lève les yeux, puis les baisse et regarde le bout de ses pieds.

— … les chiens. Oui, maintenant. Beaucoup plus qu'avant, je veux dire.

— Oh! dit Catou.

— Y a-t-il un problème? demande Olivier en la fixant des yeux.

— Un problème? répète Catou.

— Tu sembles soucieuse, dit Olivier.

— Oui, dit Catou en regardant Maya et Béatrice qui se sont arrêtées et qui l'attendent. Je me fais du souci pour Muscade, le chiot que nous gardons.

Olivier écoute attentivement.

— Elle ne mange pas bien et on ne sait pas exactement pourquoi, reprend Catou. On se disait qu'elle irait mieux quand elle serait habituée à nous. Mais maintenant, je n'en suis pas sûre…

— Pauvre petite Muscade, dit Olivier.

— Oui, dit Catou. Elle s'attend à ce

qu'Olivier dise qu'elle ne doit pas s'en faire et que la petite chienne n'a sans doute rien de grave. Mais il n'ajoute rien et elle préfère ça.

— Bon, je dois y aller, dit-elle. Alors, à demain à l'école, Olivier. Au revoir.

Puis elle va rejoindre Béatrice et Maya.

— Désolée, dit-elle.

— Pas de problème, dit Béatrice d'une voix joyeuse. On jouait avec Muscade en t'attendant.

Béatrice tient un bâton dans ses mains et Muscade le tire par l'autre bout. Ses pattes avant sont allongées par terre et son arrière-train est relevé en l'air. Elle grogne en tirant.

— Muscade! dit Béatrice. Tu es trop forte pour moi!

Elle lâche le bâton et Muscade se pavane, fière de sa victoire. Puis elle dépose son trophée.

— Allons courir encore un peu avec Muscade, dit Maya.

Les trois amies courent dans le parc en laissant Muscade se reposer de temps en temps. La petite chienne mange même deux des gâteries protéinées qu'elles lui offrent. Puis elles grimpent sur la butte et la laissent explorer le bosquet. Elle aboie à la vue d'un écureuil et renifle du bois mort. Puis elle semble perdre tout intérêt.

Elles redescendent de la butte en courant. Mais quand elles arrivent en bas, Muscade s'arrête brusquement et s'assoit. Elles l'attendent, mais on dirait qu'elle est trop fatiguée pour continuer de marcher.

— *Amigas!* dit Maya. Je crois qu'il est temps de rentrer au P'tit bonheur canin avec ce p'tit bout d'chou.

— Tu veux qu'on te porte, Muscade? dit Béatrice en la soulevant. Je vais commencer, puis vous me relayerez.

# CHAPITRE CINQ

La cloche tinte quand elles entrent dans le salon de toilettage. Il n'y a plus de chiens dans la salle d'attente, seulement une dernière cliente qui attend le sien.

Thomas, assis derrière son comptoir, lève les yeux et salue les filles.

— Comment va Muscade? dit-il. Est-elle de meilleure humeur?

Marmelade, couchée sur le comptoir près de Thomas, lave méticuleusement une de ses pattes avec sa langue.

— Un peu, dit Catou qui tient le chiot dans ses bras.

— Elle a bien aimé courir dans l'herbe, dit Béatrice.

— Et elle a mangé des gâteries, ajoute Maya.

— Mais tu as toujours l'air bien triste, pitchounette, dit Thomas en tendant la main pour la caresser.

Muscade se tortille de plaisir dans les bras de Catou.

— On dirait qu'elle est contente de te revoir, Thomas, dit Catou avec un sourire.

— Oh, ce n'est pas moi qui lui fais cet effet, dit Thomas. Regardez, c'est cette bonne vieille Marmelade.

*Thomas a raison!* se dit Catou. Muscade remue la queue et essaie de s'approcher de Marmelade qui l'a d'ailleurs remarquée. Elle rabat les oreilles vers l'arrière, fusille le chiot du regard et se lève.

— Marmelade, tu n'es pas gentille, lui reproche Thomas. Mais comme vous le savez, on n'apprend pas aux vieux... chats à faire la grimace!

Les filles rient de bon cœur à la blague de Thomas.

Marmelade s'éloigne de Muscade et celle-ci arrête immédiatement de remuer la queue et se met à geindre.

Marmelade s'arrête. Ses oreilles se dressent et elle regarde le chiot avec insistance. Muscade est complètement immobile et se remet à geindre.

Brusquement, Marmelade tend le cou et pose un petit baiser sur la truffe du chiot.

— Incroyable! s'exclame Catou.

Thomas secoue la tête d'étonnement et Muscade

remue la queue de bonheur.

La vieille chatte, satisfaite, rabat les oreilles et marche dignement jusqu'à l'autre bout du comptoir.

— Eh bien! dit Thomas. C'est une grande première de la part de Marmelade. Ce chiot doit être très spécial.

Thomas tapote la tête de Muscade, puis retourne travailler sur l'ordinateur. Les trois fillettes disparaissent dans le couloir et ramènent Muscade dans la garderie.

— Muscade a retrouvé sa bonne humeur le temps que Marmelade lui fasse un bisou, dit Catou. Mais regardez-la maintenant. Elle est toute triste.

Muscade est immobile dans les bras de Catou.

— Peut-être qu'elle a faim? dit Béatrice d'un ton enthousiaste. Sa petite bedaine doit gargouiller.

Mais quand Catou dépose la petite chienne devant sa gamelle, celle-ci relève la tête et la regarde de ses beaux yeux bruns. Elle refuse de manger.

— Muscade, dit Maya inquiète. Tu dois manger!

Elle s'accroupit à côté du chiot et lui offre un

biscuit. Muscade le renifle, puis se retourne.

Les fillettes ont du mal à la quitter, mais elles doivent rentrer chez elles. Catou la prend dans ses bras et la cajole une dernière fois. Elle l'embrasse sur la tête et la dépose dans sa cage.

— À demain, Muscade, dit-elle. D'ici là, tu te seras peut-être habituée à la garderie.

Mais au fond d'elle-même, Catou sait que quelque chose d'autre tracasse Muscade. *Qu'est-ce que cela peut bien être?*

# CHAPITRE SIX

Le vendredi, Maya mange chez Catou à midi.

— Tu n'as pas faim? dit Maya en indiquant l'assiette de Catou qui a à peine touché à son sandwich. Tu as le même problème que Muscade?

— Je me fais du souci pour elle, dit Catou.

— Appelle donc le P'tit Bonheur canin pour prendre de ses nouvelles, suggère Maya.

— Bonne idée, dit Catou.

Elle va chercher le téléphone et compose le numéro. Thomas répond.

— Muscade a mangé un peu aujourd'hui, mais pas beaucoup, dit-il. J'ai joué avec elle ce matin et Janine l'a emmenée dans la cour à l'heure du dîner. Elle a aussi appelé Mlle Julien, la propriétaire de Muscade. Janine pense que Muscade s'ennuie simplement de sa maîtresse, mais elle voulait lui demander si quelque chose d'autre pouvait tracasser son chiot. Elle n'a pas pu la joindre, alors elle lui a laissé un message.

— Merci Thomas, dit Catou. Maya et Béatrice sont occupées après l'école aujourd'hui, mais moi, je peux venir jouer avec Muscade.

Puis Catou et Maya retournent à l'école. Elles retrouvent Béatrice dans la cour et Maya lui raconte ce que Thomas leur a dit.

— Mlle Julien va peut-être rappeler cet après-midi, dit Béatrice. Peut-être qu'elle pourra expliquer à tante Janine ce qui ne va pas.

— Aujourd'hui, c'est vendredi, dit Maya. Muscade ne reste au P'tit bonheur canin que jusqu'à dimanche. Dans deux jours, elle sera de retour chez elle.

Mais rien de tout cela ne rassure Catou. Pendant

tout l'après-midi, elle se fait du souci pour la petite King-Charles. Quand la cloche sonne enfin, elle est toujours aussi préoccupée. Elle est pressée de se rendre au P'tit bonheur canin pour passer du temps avec Muscade.

Maya a quitté l'école un peu plus tôt à cause d'un rendez-vous chez le dentiste. Quand elle aura terminé, sa mère la déposera au salon de toilettage. Quant à Béatrice, elle doit aller rendre visite à sa grand-mère.

— Je vous verrai demain au P'tit bonheur canin, dit cette dernière en partant dans le couloir.

Catou remonte la fermeture éclair de son manteau et prend son sac à dos. *Muscade,* pense-t-elle.

— Est-ce que ça va, Catou?

Catou lève la tête. Olivier se tient devant elle, l'air soucieux.

— Oh! dit Catou. J'étais distraite. Non, ça va. Je veux dire, oui. Oui, tout va bien.

Olivier hoche la tête, mais n'a pas l'air très convaincu.

— Je dois y aller, dit Catou. Je vais au P'tit bonheur canin. Il y a un chiot qui…

Elle se dirige vers les portes.

— Oui, tu m'en as parlé hier, au parc, dit Olivier. C'est Muscade, n'est-ce pas? Elle est malheureuse et elle ne mange pas.

— Exactement. À l'heure du dîner, j'ai appris qu'elle n'avait presque rien mangé aujourd'hui non plus, réplique Catou qui sent sa gorge se serrer. Ma tante a appelé sa propriétaire en pensant qu'elle aurait peut-être une explication. Mais elle n'a pas pu lui parler.

Olivier hoche la tête de nouveau.

— Je me demande… dit-il en rougissant. Depuis que tu m'as parlé de Muscade hier, j'ai réfléchi à ce que tu m'as dit.

Catou est surprise. Elle se rappelle qu'Olivier lui a confié qu'il aimait les chiens maintenant. Et, apparemment, c'est vrai.

— Muscade s'ennuie peut-être de son foyer… ajoute-t-il.

— J'y ai pensé, l'interrompt Catou. Mais dans ce cas, que pourrait-on faire pour l'aider?

— Eh bien, sa propriétaire a-t-elle laissé un objet qui lui rappelle sa maison? dit Olivier. Comme une couverture ou un jouet qu'elle aime.

— Non, dit Catou. Rien.

— Muscade serait peut-être rassurée si tu l'emmenais faire un tour chez elle, dit Olivier. Évidemment tu ne pourras pas entrer dans la maison. Mais elle appréciera peut-être de jouer dans sa cour et d'y retrouver des odeurs familières. Crois-tu que ça pourrait marcher?

Catou sourit.

— J'aurais dû y penser plus tôt! dit Catou. Olivier, c'est une très bonne idée. En tout cas, ça vaut la peine d'essayer.

Catou et Olivier sortent ensemble de l'école et traversent la cour. Olivier enfile sa tuque à oreillettes.

— Ta tante devrait avoir l'adresse de Muscade, dit Olivier.

— Sûrement, dit Catou en serrant brièvement

Olivier dans ses bras. Olivier, tu es le meilleur! À plus, d'accord?

Olivier ne dit rien. Un instant plus tard, quand Catou se retourne pour le regarder, il n'a pas bougé, mais il sourit.

Catou court jusqu'au P'tit bonheur canin. La cloche tinte quand elle entre dans la salle d'attente.

Une jeune femme est assise sur le canapé et

49

travaille sur son ordinateur. Deux chiens sont couchés côte à côte à ses pieds. L'un est un beau labradoodle brun, résultat d'un croisement entre un labrador chocolat et un caniche, et l'autre est un cockapoo noir, résultat du croisement entre un cocker et un caniche. Tous deux ont le poil long et frisé.

— Si vous voulez, vos chiens peuvent rester dans des cages en attendant que Janine soit disponible pour s'en occuper, dit Thomas à la jeune femme. Ainsi, vous n'auriez pas à attendre.

— Je l'ai proposé, mais il y en a deux qui sont d'un autre avis, répond-elle à la blague. Et puis, j'ai apporté du travail à faire.

— Les chiens font vraiment la loi à Jolibois, dit Thomas en secouant la tête. Aucun habitant de cette ville n'accepte de laisser son chien dans une cage!

Il fait un clin d'œil à Catou.

Au même moment, Maya entre en trombe dans la salle d'attente.

— Pas une seule carie! annonce-t-elle fièrement

en souriant de toutes ses dents.

Catou sourit, puis explique à Thomas et à Maya son plan pour réconforter Muscade.

— Peux-tu nous trouver l'adresse de Muscade? demande-t-elle à Thomas.

— Bien sûr, dit-il. Donne-moi une petite minute.

— On va aller la préparer, dit Catou, pleine d'entrain.

Maya et elle se rendent aussitôt dans la garderie.

— Bonjour, Muscade! dit Catou d'une voix chantante.

— Comment vas-tu, pitchounette? dit Maya.

La petite King-Charles est recroquevillée dans un coin de sa cage et elle relève à peine la tête en entendant les filles.

— Muscade, tu dois manger! la gronde Catou en la prenant dans ses bras. Tu n'as pas faim aujourd'hui?

Elle flatte le poil soyeux du chiot. Elle tire doucement sur ses petites oreilles de velours. Elle sent sa bonne odeur de chiot.

— Bon, dit-elle. On a eu une idée qui pourrait

t'aider à retrouver l'appétit. Viens, on va aller vérifier si ça marche.

# CHAPITRE SEPT

— On ne doit pas être très loin de la maison de Muscade, dit Maya à Catou.

Plus tôt, Thomas leur a donné l'adresse et leur a tracé le chemin à suivre. Après avoir quitté le salon de toilettage, elles ont pris la rue principale. Muscade trottinait au bout de sa laisse. En chemin, elle a reniflé une borne-fontaine et elle a écarquillé les yeux en regardant passer une motocyclette pétaradante.

Puis elles ont tourné dans une rue plus tranquille

et un écureuil est descendu d'un arbre juste devant elles. Muscade s'est arrêtée et a regardé l'écureuil qui a traversé la pelouse et est remonté dans un autre arbre. Puis, un second écureuil s'est lancé à la poursuite du premier et ils ont disparu tous les deux dans un nid de feuilles mortes. Muscade a couru jusqu'au pied de l'arbre, l'a reniflé et a aboyé trois fois.

— Oh! a plaisanté Maya, comme tu es courageuse maintenant que ces dangereux écureuils ont disparu!

Les fillettes étaient ravies de voir Muscade pleine d'entrain.

Mais après avoir marché jusqu'à la rue suivante, Muscade s'est couchée par terre. Catou et Maya ont attendu patiemment qu'elle se relève, mais en vain.

— Allez Muscade! l'a pressée Catou. Allez, marche, mon toutou!

Muscade a posé son menton sur ses pattes et a regardé les fillettes.

— Bon, j'ai compris, a dit Maya en la soulevant.

Cet après-midi, je t'offre un voyage en taxi gratuit.

— On arrive, dit maintenant Catou en regardant la carte dessinée par Thomas.

Elle aperçoit un panneau à un carrefour.

— Rue de la Bougie, dit-elle au chiot. On est arrivées!

Les fillettes s'engagent dans la rue et cherchent la bonne adresse. *123, rue de la Bougie… 125, rue de la Bougie… 127… 129…*

Elles s'arrêtent devant le 131, rue de la Bougie. C'est une maisonnette en brique de deux étages avec un grand perron à l'avant. L'allée du garage est déserte.

Catou pose le chiot par terre. Muscade se secoue vigoureusement de la pointe de la truffe jusqu'au bout de la queue.

— Es-tu prête maintenant, pitchounette? dit Maya en riant.

Catou rit aussi.

— Bon, dit-elle. Maintenant que tu es prête, montre-nous si ça te fait plaisir d'être revenue chez toi!

Les fillettes marchent jusqu'au perron avec la petite chienne. Elle renifle les buissons et tire sur sa laisse. Puis elle bondit sur les marches.

Au même moment, un homme âgé aux cheveux blancs comme neige sort de la maison.

— Bonjour, dit-il aux fillettes d'une voix tonitruante. Je m'appelle Sam Mehta. Que puis-je faire pour vous?

Catou s'apprête à répondre, mais M. Mehta l'interrompt.

— Oh! mais c'est la petite Muscade! s'exclame-t-il. Bonjour, p'tit bout d'chou.

Il se penche et lui flatte la tête. Encore une fois, Catou est sur le point de parler, mais le vieil homme continue sur sa lancée.

— Patricia m'a dit qu'elle s'absentait pour quelques jours et elle m'a demandé de venir nourrir ses chats, explique-t-il. C'est la raison de ma présence ici. Je

suis venu m'acquitter de mon devoir.

Catou attend pour s'assurer que le vieil homme a fini de parler. Elle évite le regard de Maya parce qu'elle sait qu'elle risque d'éclater de rire. Au bout d'un moment, quand elle est certaine que M. Mehta n'a plus rien à ajouter, elle dit :

— Je m'appelle Catou. Voici Maya, et vous connaissez déjà Muscade. Maya et moi aidons ma tante Janine à s'occuper de Muscade au P'tit bonheur canin où elle est en pension.

— Je vois, dit M. Mehta.

Il hoche la tête, puis fronce les sourcils.

— Vous savez que Patricia est absente, bien sûr, poursuit-il. Alors pourquoi êtes-vous ici avec Muscade? Quelque chose ne va pas? Muscade a un problème?

— Eh bien, Muscade ne mange pas assez, dit Catou. On dirait qu'elle est… un peu triste. On s'est dit qu'elle s'ennuyait peut-être de sa maison.

Brusquement, Muscade est aux aguets. Elle dresse les oreilles, lève la queue et se met à tirer sur sa laisse en direction de la grande fenêtre de la façade. Catou voit les rideaux bouger.

La tête d'un chat apparaît à la fenêtre, puis celle d'un second chat.

— Évidemment! dit Catou. Ce sont les deux chats qui vivent avec Muscade!

La petite chienne court vers la fenêtre. Elle remue la queue frénétiquement.

— Regardez comme elle est heureuse de voir les chats! s'écrie Maya.

Muscade aboie brièvement. Catou la prend dans ses bras et la met à la hauteur de la fenêtre. La petite King-Charles presse sa truffe noire contre la vitre. Elle se tortille de bonheur.

— Voilà peut-être la raison, dit Catou à Maya. Muscade ne s'ennuie pas de sa maison, mais de ses amis les chats!

Les deux chats regardent le chiot. Ils clignent des yeux et remuent les moustaches. Puis ils font demi-tour et s'en vont. Les rideaux retombent en place.

Muscade baisse aussitôt la queue. Elle attend, sans quitter la fenêtre des yeux, mais les chats ne reviennent pas.

— C'est sûrement ça, dit Maya. Muscade s'ennuie des chats.

— Dans ce cas, j'ai la solution, dit M. Mehta. Maintenant, j'ai un rendez-vous. Mais demain… Demandez donc à vos parents de vous amener avec Muscade vers cette heure-ci. Je vous ferai entrer et

Muscade pourra voir ses amis les chats. Je suis sûr que Patricia serait d'accord. Je suis même sûr qu'elle vous en sera reconnaissante.

Catou et Maya échangent un regard, puis sourient à M. Mehta.

— Ce serait formidable! dit Catou.

— *Miaougique!* dit Maya d'un air taquin.

# CHAPITRE HUIT

Catou et Maya retournent au P'tit bonheur canin. La salle d'attente est vide. Catou entend la voix de tante Janine qui est dans le local de toilettage. Elle frappe à la porte et passe la tête dans l'embrasure.

— Catou-Minou! s'exclame tante Janine. Mais entre donc!

Elle balaie le plancher tout en discutant avec Thomas qui tient Marmelade dans ses bras. Il caresse doucement la grosse chatte tigrée qui, comme d'habitude, fait semblant de ne pas apprécier son affection.

— Thomas m'a dit que vous étiez allées chez Muscade, dit tante Janine.

— Oui, dit Catou. J'ai pensé qu'elle s'ennuyait de sa maison et qu'elle irait peut-être mieux si nous allions y faire un tour pour la laisser jouer dans la cour.

— Pas bête du tout, dit tante Janine.

Catou veut lui expliquer que l'idée n'est pas d'elle, mais d'Olivier. Mais à la perspective de prononcer son nom à voix haute, elle se sent gênée.

Tante Janine éclate de rire.

— Regarde-toi, Muscade! dit-elle. Pourquoi es-tu si excitée soudain?

Le chiot a les oreilles dressées et remue la queue. Il gigote dans les bras de Catou.

— Muscade aime les chats! dit Maya. Elle a fait la même chose hier, quand elle a vu Marmelade.

Catou approche Muscade de Marmelade et le chiot continue de remuer la queue.

— Et, croyez-le ou non, cette vieille chatte grognonne semble avoir un faible pour Muscade, dit

Thomas à tante Janine.

Il avance vers Catou et Muscade. Cette fois, Marmelade ne rabat pas les oreilles et ne regarde pas le chiot d'un œil mauvais.

Tante Janine arrête de balayer pour mieux les observer.

La chatte tend une patte et tapote gentiment l'oreille de Muscade qui se tord de plaisir.

— Eh bien! dit tante Janine, complètement ébahie. J'aurai tout vu!

Puis elle réfléchit un instant.

— Marmelade pourrait peut-être réconforter Muscade, dit-elle. On pourrait la laisser un peu avec le chiot aujourd'hui. Qu'en dis-tu Thomas?

Thomas secoue la tête.

— À mon avis, ça ne marchera pas, dit-il. Regardez-la.

Marmelade, contente d'elle, se cale dans les bras de Thomas. Elle se remet à ignorer les quatre personnes présentes et courbe le dos pour informer Thomas qu'il peut recommencer à la flatter.

— Marmelade veut effectivement réconforter Muscade, poursuit Thomas. Mais apparemment, ça se limite à une petite caresse ou à un bisou de temps en temps.

— Tu as sans doute raison, dit tante Janine en soupirant.

— C'est toujours ça de gagné, dit Catou. En passant, quand nous étions chez Muscade tout à l'heure, elle est devenue tout excitée en apercevant les deux chats de Patricia à la fenêtre. *Vraiment* très excitée. On pense qu'elle s'ennuie d'eux.

— Et on a rencontré le voisin de Patricia, M. Mehta, qui vient les nourrir, dit Maya. Il nous a proposé de revenir avec Muscade demain pour qu'elle puisse jouer avec les chats.

— Je crois que ça pourrait beaucoup l'aider, dit tante Janine.

Catou s'aperçoit que sa tante est inquiète à la façon dont elle regarde le chiot.

— J'espère que notre gentille petite Muscade ira mieux, poursuit tante Janine. Mlle Julien ne revient pas avant dimanche matin et nous n'aurons peut-être pas de ses nouvelles d'ici là. C'est long pour une petite King-Charles accablée de chagrin. Et c'est très long si elle reste sans manger.

Catou a les larmes aux yeux. Elle se penche sur le chiot.

— Ne t'inquiète pas, murmure-t-elle à son oreille. Tout ira bien.

Mais elle n'en est pas totalement certaine.

# CHAPITRE NEUF

Catou vient de finir de souper avec sa famille. Souriante, elle téléphone à Maya et à Béatrice pour leur expliquer son plan. Elle leur donne rendez-vous pour le lendemain matin au P'tit bonheur canin où elles joueront avec Muscade.

— L'après-midi, on ira jusqu'à la rue de la Bougie, comme l'a proposé M. Mehta, dit-elle. Et papa viendra nous y rejoindre. J'espère que Muscade sera contente quand elle verra ses amis les chats.

Catou invite aussi ses amies à venir souper chez

elle et à travailler sur leur album. Elles acceptent l'invitation avec plaisir.

Le samedi matin, Catou, Maya et Béatrice arrivent au P'tit bonheur canin et se rendent directement dans la garderie. Muscade est couchée dans sa cage, sous la fenêtre.

— Muscade, devine qui tu vas voir cet après-midi? dit Maya.

La petite chienne lève la tête, bat de la queue deux ou trois fois, puis repose la tête sur ses pattes.

Catou, toute souriante, la sort de sa cage et la serre contre elle. Son poil est soyeux et son doux parfum de chiot est si agréable!

— Oh Muscade! dit Catou. Je sais que tu vas retrouver ta bonne humeur dès que tu verras tes amis les chats. Mais pour le moment, on va aller jouer dans la cour.

La cour arrière du salon de toilettage est entourée d'une clôture en grillage. D'un côté, elle est bordée d'arbres et de l'autre, il y a une plate-bande fleurie.

Le temps est frais, et il fait soleil. Pendant tout l'avant-midi, les fillettes essaient de faire jouer Muscade. Elles lui lancent des jouets, mais finissent toujours par aller les chercher à sa place. Elles jouent à se poursuivre autour de la cour, mais Muscade ne se montre pas intéressée.

À midi, elles ramènent Muscade à l'intérieur. Elles mangent le repas qu'elles ont apporté. Après le dîner, Maya jette un coup d'œil à la gamelle du chiot.

— Muscade n'a pas touché à son déjeuner, dit-elle, l'air soucieux.

— En effet, constate Béatrice.

Puis elle sourit.

— J'ai une idée, s'exclame-t-elle. On va apporter la nourriture de Muscade chez elle et essayer de la faire manger là-bas. Elle retrouvera peut-être l'appétit quand elle sera avec les chats.

Maya met des croquettes pour chiots dans son sac à dos tandis que Catou range les jouets. Puis Béatrice fixe la laisse de Muscade à son collier.

Les fillettes saluent Thomas en quittant le salon de toilettage, puis elles empruntent la rue principale de Jolibois avec Muscade qui trottine à leur côté. Plusieurs passants s'arrêtent et demandent s'ils peuvent la flatter.

— Quelle jolie petite chienne King-Charles! dit un homme. J'ai déjà eu une blenheim, comme la vôtre. Elle s'appelait Poupette. Pensez-vous la présenter dans les expositions canines quand elle sera grande? Quoique… Elle n'est peut-être pas faite pour la compétition. (Il se penche et la flatte.) Elle manque d'énergie, si je puis me permettre un commentaire. Elle est adorable, mais elle semble un peu… morose, dirais-je.

— Morose, répète Béatrice tandis qu'elles continuent de marcher. Je ne connais pas ce mot. Qu'est-ce qu'il signifie?

— Je ne sais pas, dit Maya en haussant les épaules.

Puis elle prend la pose de l'explorateur qui, la main en visière, scrute l'horizon.

— En avant toutes, cap sur la rue de la Bougie, dit-elle d'une grosse voix bourrue. Poursuivons notre périple, *amigas!*

— Tu veux savoir ce que signifie « morose »? dit Catou en souriant à Béatrice. Regarde Maya…

— Maya est morose? l'interrompt Béatrice.

— Pas du tout! dit Catou. Regarde Maya, puis pense à quelqu'un qui serait exactement son *contraire*. Eh bien, cette personne serait de caractère morose. Morose signifie « triste, sans entrain ». Tu sais, comme par une journée où le ciel est tout gris. On dit alors que le temps est morose.

Béatrice glousse et ajoute :

— Et Maya serait plutôt comme une belle journée ensoleillée!

— Exactement, dit Catou.

Elle prend le chiot dans ses bras.

— En ce moment, tu es morose, petite Muscade, dit-elle. Mais je me demande comment tu seras quand on arrivera chez toi.

Un quart d'heure plus tard, Catou annonce :

— Nous voici chez Muscade, au 131, rue de la Bougie. M. Mehta habite de ce côté et voici mon père, très ponctuel comme d'habitude.

M. Riopel salue sa fille de la main juste au moment où M. Mehta sort de chez lui.

— Bonjour Catou, bonjour Maya. Je me présente : Sam Mehta, ajoute-t-il à l'intention de Béatrice et du père de Catou en venant les rejoindre. Je suis très content que vous ayez ramené la petite Muscade.

— Je vous présente mon amie Béatrice et mon père, Robert Riopel, dit Catou.

Tout le monde se serre la main, puis remonte l'allée du 131, rue de la Bougie.

— Je viens ici deux fois par jour depuis le départ

de Patricia, explique M. Mehta. Le matin, je donne à manger aux chats et l'après-midi, je passe les saluer.

En approchant de la maison, Catou voit bouger les rideaux de la grande fenêtre.. Puis une queue noire apparaît et disparaît.

— Tes amis t'attendent, chuchote-t-elle à l'oreille de Muscade.

— Dans la cuisine, il y a des jouets appartenant à Muscade, dit M. Mehta en tournant la clé dans la serrure. Son bol d'eau s'y trouve aussi.

M. Riopel et les trois fillettes entrent après lui.

— Oh! regardez! dit Maya. Les chats sont ici!

Deux chats sont perchés sur le dossier du canapé qui est placé sous une grande fenêtre. Le premier est noir et blanc avec le bout de la queue blanc. Le deuxième est gris et blanc. Ils regardent les visiteurs avec intérêt.

— Le noir s'appelle Pacha, dit M. Mehta. Et le gris et blanc, Grisou. Ils sont jeunes et très enjoués. Je vais revenir dans une heure et demie. Est-ce que ça vous laisse assez de temps?

— C'est parfait, dit Catou. Merci beaucoup.

M. Mehta les salue de la main et s'en va.

# CHAPITRE DIX

— Cette petite chienne ne semble pas triste pour deux sous, dit le père de Catou avec un sourire.

— Je ne l'ai jamais vue aussi animée, dit Béatrice.

Muscade gigote d'impatience. Catou détache sa laisse et pose la chienne par terre. Rapide comme l'éclair, elle court rejoindre les chats.

Arrivée devant le canapé, elle essaie de grimper, mais elle est trop petite. Elle aboie et remue la queue avec frénésie.

Pacha et Grisou descendent sur le coussin du

canapé. Pacha émet un son entre le miaulement et le ronronnement. Il tend la patte et donne de petits coups sur la truffe du chiot.

Muscade remue la queue encore plus fort. Elle se dresse, appuie ses pattes avant sur le canapé et mordille la patte de Pacha.

— Inouï! s'exclame Maya.

Le chat noir descend du canapé. La queue dressée en l'air, Grisou regarde Muscade qui bondit vers lui. Quand le chiot l'a presque rejoint, il se sauve dans la salle à manger. La petite King-Charles, les oreilles flottant au vent, se lance à sa poursuite.

— Grisou est presque deux fois plus gros que Muscade, dit Catou en riant.

Les fillettes regardent le chiot qui poursuit le chat entre les pieds de la table et les six chaises. Catou et Béatrice, perchées sur l'une des chaises, observent leur jeu.

Maya prend des photos avec son appareil. Le père de Catou les regarde faire pendant un moment, puis il se plonge dans la lecture du gros journal de la fin

de semaine.

— Muscade va être épuisée après tous ces jeux! dit Catou.

Soudain, Grisou traverse le salon comme une flèche, suivi de la petite chienne, puis saute sur le dossier du canapé et se couche nonchalamment. Muscade s'assoit devant le canapé, la langue pendante et le souffle court.

Elle s'est à peine reposée quelques minutes que Pacha décide de descendre du canapé. Il regarde Muscade droit dans les yeux, puis se couche et roule sur le dos. La petite chienne se remet à quatre pattes, s'approche de lui en remuant la queue et lui renifle le ventre. Le chat agite les pattes en faisant

semblant de donner de petits coups sur la truffe du chiot. Muscade s'assoit et pousse Pacha avec son museau. Le chat recommence à lui donner des coups de patte sur la truffe.

Puis il se remet debout et file se cacher sous le canapé. Muscade se précipite à sa suite. Le chat ressort de l'autre côté du canapé et court sous la chaise de Catou. Les trois fillettes éclatent de rire.

— Incroyable! s'exclame Catou en soulevant ses pieds au passage du chiot qui poursuit le chat.

Pacha fait encore quelques tours autour de la pièce, suivi de près par Muscade.

Finalement, le chat s'arrête au beau milieu du salon et se laisse tomber sur le côté. Muscade s'allonge par terre à côté de lui. Pacha la pousse quelques fois avec son nez et elle répond en lui donnant un coup de patte. Puis ils s'endorment tous les deux.

Les trois fillettes échangent un sourire.

— Muscade s'est bien amusée, dit Maya.

— On devrait lui donner à manger maintenant, dit Béatrice.

— Bonne idée, répond Catou. Ce serait bien si on arrivait à la faire manger pendant qu'elle est chez elle.

Les filles se rendent à la cuisine. Maya prend les croquettes et la gamelle de Muscade dans son sac. Avec l'aide de Béatrice, elle met un peu de nourriture dans la gamelle tandis que Catou remplit une autre gamelle avec de l'eau.

Catou aperçoit un lit pour chien sous la fenêtre de

la cuisine.

— Ce doit être celui de Muscade, dit-elle. Et voici des jouets pour chiens.

Elle presse un jouet qui couine. Muscade surgit dans la cuisine, les yeux brillants d'excitation.

Catou presse le jouet de nouveau et Muscade le regarde en remuant la queue. Catou fait glisser le jouet sur le plancher de la cuisine et Muscade le poursuit. Puis elle ramasse le jouet et retourne à toute vitesse dans le salon.

Les fillettes la suivent en riant. Muscade laisse tomber le jouet à côté de Pacha qui lui donne des coups de patte. Grisou descend du canapé et bondit sur le jouet. Muscade se met en position de jeu, la tête basse et l'arrière-train en l'air. Elle fait semblant de grogner comme une bête féroce. Puis elle saisit le jouet et se sauve en courant, poursuivie par les chats.

Muscade et les deux chats continuent de jouer jusqu'à ce que la petite chienne soit trop fatiguée. Blottie contre Grisou, elle s'endort une fois de plus.

Quand Muscade se réveille, Béatrice l'emmène dans la cuisine et la pose devant ses deux gamelles. Muscade boit avidement. Puis elle regarde ses croquettes.

Catou retient son souffle.

Muscade se met à manger. Maya, Béatrice et Catou échangent un regard. Elles n'osent pas parler de peur de déranger le chiot.

Muscade mange encore et encore, jusqu'à ce que la gamelle soit complètement vide. Elle boit encore un peu. Puis elle se dirige vers son lit, se pelotonne et se rendort.

— Ouf! dit Béatrice.

— C'est la première fois depuis des jours que Muscade a le ventre plein, dit Maya.

Catou soupire de soulagement.

Quand Muscade se réveille, elle retourne jouer avec les chats. Ils se chamaillent, courent, se poursuivent et jouent à cache-cache.

Quand M. Mehta revient, les fillettes n'arrivent pas à croire qu'il est déjà l'heure de partir. Le père de Catou replie son journal et Béatrice fixe la laisse au collier de Muscade.

Les fillettes saluent M. Mehta et Catou remercie son père en lui sautant au cou. Puis Catou et ses amies ramènent Muscade à pied au P'tit bonheur canin. Une fois dans la garderie, Béatrice flatte une dernière fois les oreilles soyeuses du chiot.

— Au revoir, petite Muscade, dit-elle.

— Tu vas me manquer, dit Maya.

— À moi aussi, dit Catou

Catou l'embrasse sur la tête, puis Béatrice l'installe dans sa cage.

Catou a le cœur gros. Mais elle est rassurée, sachant que Muscade n'est pas malade et accepte de manger. Elle sourit à l'idée que la petite chienne sera bien plus heureuse quand elle sera de retour dans sa maison avec ses amis les chats.

# CHAPITRE ONZE

Les trois amies sont assises par terre dans la chambre de Catou.

Catou fait des dessins de Muscade et Béatrice trie les photos qu'elle a prises. Elles vont les mettre dans leur album des chiots. Maya leur lit son texte :

— *Muscade est âgée de dix semaines. C'est un épagneul cavalier King-Charles, de type blenheim, c'est-à-dire à poil roux et blanc. Elle est très gentille et elle adore ses amis les chats. Quand elle est seule, elle devient morose. Mais quand elle est avec ses amis les chats, elle déborde d'énergie et de joie de vivre!* Qu'en pensez-vous?

— C'est parfait, répond Béatrice.

— Bien vu, dit Catou, le pouce en l'air.

— C'était formidable de voir Muscade heureuse avec ses amis les chats, dit Béatrice. Ton idée de leur rendre visite était super, Catou.

— L'idée n'était pas de moi, grommelle Catou en penchant la tête.

— Que dis-tu? demande Béatrice.

— L'idée n'était pas de moi, répète Catou un peu plus fort.

Maya relève le nez de son carnet de notes.

— Ah bon? dit-elle. Alors de qui était-elle?

Catou rougit.

— Catou-Minou? insiste Maya.

Elle dépose son crayon et Béatrice, ses photos.

— C'était une idée d'Olivier, dit Catou. Je l'ai rencontré par hasard, hier en sortant de l'école. Je me faisais du souci pour Muscade et je lui ai tout dit. C'est mon ami, après tout, et je ne vois pas pourquoi je ne pourrais pas lui parler de Muscade. Il aime vraiment les chiens.

Maya et Béatrice restent muettes, mais elles échangent un sourire.

— Eh bien quoi? dit Catou en mettant les mains sur les hanches et en fronçant les sourcils. Qu'y a-t-il de si drôle?

— Rien, dit Béatrice d'un air innocent.

— Rien, dit Maya d'un air tout aussi innocent.

— Je ne suis pas *amoureuse* de lui, proteste Catou.

Elle ne sait pas pourquoi, mais elle rougit.

— Ce n'est pas mon petit ami, ajoute-t-elle. Et il ne me fait pas les yeux doux.

— Si tu le dis, dit Maya.

— Oui, si tu le dis, dit Béatrice.

— En tout cas, il a eu une très bonne idée pour aider Muscade, dit Maya.

Elle reprend son crayon et se met à écrire tandis que Béatrice trie ses photos.

— Mais même si tu l'aimais, il n'y aurait pas de quoi en faire toute une histoire, dit Béatrice.

— Comme tu dis, réplique Catou.

Elle se calme et son visage retrouve sa couleur normale.

Elle reprend son portrait de la gentille petite Muscade. Comme elle se sentait seule, séparée de Pacha et de Grisou! Ses deux amis les chats sont vraiment importants pour elle.

Catou regarde Maya et Béatrice et ressent la

même chose envers ses deux amies.

*J'ai une chance inouïe! se dit-elle. Je peux donner un coup de main au P'tit bonheur canin en m'occupant de chiots comme Muscade et, en plus, j'ai les deux meilleures amies du monde!*

# L'album des chiots :
## une collection de chiots irrésistibles
## Découvre-les tous!

ISBN 978-1-4431-2429-4

ISBN 978-1-4431-2430-0

ISBN 978-1-4431-2431-7

ISBN 978-1-4431-3359-3

ISBN 978-1-4431-3361-6

ISBN 978-1-4431-3363-0

ISBN 978-1-4431-4651-7